제 6 화 폭탄마 소동
날이 밝았지만 도시 전체에 소란스러운 움직임은 없는 것 같군.
척...
…….
역시 시장이라는 얼굴이 있는 이상 화려한 수는 못 쓰는 건가.
…….

피학의 노엘

NOEL the mortal fate

2

만화 샤모지 원작 카나오

끼야
…그러니까 내가 말했지. 버로우즈가 현실을 들이밀면 절망할 거라고.
어제 이야기한 것은 기억하고 있나?
네 팔다리를 되돌릴 단 하나의 방법….
그것은 버로우즈의 모든 것을 빼앗아 소원을 없던 일로 하는 거다.
팔다리의 탈환.
버로우즈에 대한 복수.
그리고 내 오점의 청산이기도 한 제1의 계약의 취소.
네가 결단만 내리면 나는 제2의 계약에 따라 네 복수를 도와줄 것이다.
…어때? 버로우즈와 싸울 각오가 되었나?
….

버로우즈가
악마의 계약에
관여했다는 비밀….
너는 그것을 알고도
살아 있는
폭탄 그 자체다.
충격을
받은 건
알겠지만
시간이 없다.
…대화가
되질
않는군.
그 페빌딩에서
죽었어야 하는
인간인 것이다.
너는
버로우즈
에게…
….
너를
처리하기 위해
이미 방법을
모색하고
있겠지.
잠깐
바깥바람
좀 쐬고
올게요.
스윽…

그래. 그렇다면 나는 네 뒤를 미행하겠다.
무슨 일이 있을지도 모르니.
…마음대로 하세요.
어이, 꼬마.
…슬럼은 떠밀려 나온 사람을 밀어내지 않는다.

…그렇게 우울한 얼굴 하지 마라.
….
앗…!!
어이쿠 ….
!
조심해.
가, 감사 합니다….
….

…!
…팔, 힘들 겠구나.
내 친구도 병원에서 한쪽 팔을 잃었어.
다른 사람을 돌볼 여유는 없지만
…뭐 힘내.

슬럼은 변변찮고 시가지에서는 폭탄마 소동이….
버로우즈가 도시를 발전시키고 있단 생각이 안 들어.
그러게 말이야.
…폭탄마?
그러고 보니 저기 뒷골목 가게에 묘한 녀석이 있는데
겉모습도 이상하지만, 팔고 있는 게 뭔지 모르겠어….
돈은 됐으니까 「삐—」를 달라고 하질 않나….
뭐야 그게.
묘한 녀석…?
!
탁 탁 탁…

저게 방금 들은 소문에 나온 사람일까?
슉
스륵…
어서 와!
깜짝
잘 온 거다!
내가 이 가게의 『점장』인 거다!
소악마 상점
점장

아, 네….
악마?!
아니, 나는 딱히 악마라든지 그런 거 아니고
완전 인간인 거다!
마음을 읽혔어요.
저기… 어, 어떤 가게인가요?
순식간에 치료되는 상처약이라든가 의욕이 솟는 영양제라든가… 뭐든 있는 거다!
수상해!
어머, 가격이 안 쓰여 있네요.
돈은 필요 없지만 그 대신 『P』를 받고 있는 거다!
『P』?
네가 평소에 노력해서 쌓은… 눈에는 보이지 않는 포인트를 말하는 거다!

무슨 말을 하는지 전혀 모르겠어요….
그럼 저는 이만….
손님.
너는 상당히 노력한 거다.
…!
나는 알 수 있는 거다.
누구보다도 무엇보다도 노력해 왔을 텐데….
누군가가 널 속여서…. 불쌍한 거다.
!

또 오는 거다
누구보다도 노력했다….
노력은… 보답 받는다.
정말로 그렇다면 왜 내가 지금 이렇게 너덜너덜
팔다리도 없이 한심한 모습을 하고 있는 거지.
큭….
비틀 비틀
휘이이이잉….
…그 짧은 시간에 너무 많은 일이 있었어요.
하아…

제가 원했던 것은 누구보다도… 물론 질리안보다도 대단하다는 증거….
그것뿐이에요.
식전 연주자가 되지 못한 것을 도저히 용서할 수 없어서
부디 결단을 내려주십시오.
여기에서 도망치는 것은 식전 연주자를 사퇴하는 것과 마찬가지…!
의심할 여지도 없군. 너는 이용당했다.
버로우즈와 시빌라에게.
내게 유리한 것밖에 믿지 않았다. 믿고 싶지 않았다.
식전 연주자 따위 마음대로 할 수 있지.
최고의 연주를 했는데 식전 연주자의 자리를 놓친다.
굶주린 야심가는 눈앞의 먹이만 보게 되지.
되돌릴 수 있는 순간은 몇 번이나 있었을 텐데.
꼭 그대로 되지 않았나.
그렇지
노엘?

그날…
버로우즈
시장의 말에
귀 기울이지
않았다면
폐빌딩에서
시빌라의
유혹을
거절했더라면…
…분명 지금
이렇게 양팔,
양다리를
잃고,
피아노를
잃은 채
누군가에게
목숨을
노려지는
신세가
된 것은….
질리안에게
질투해서
심한 말을
했던 것.
그리고 식전
연주자가
되기 위해
다른 사람의
죽음을
빌었던 것.
그 벌이다…!
…윽.

지금은 알 것 같다. 나는 조금도 냉정하지 못했고 제멋대로였다.
…흑.
버로우즈 시장은 알고 있었다. 내가 이런 인간이라는 것을…!
그리고 이용당했다.
그렇다면… 내 어리석음을 원망할 권리는 있어도
버로우즈 시장이나 시빌라 씨… 물론 카론을 원망하는 것은….
…결국 저의 오만함이 가장 큰 원인이에요.
!
두둑
두둑

무슨 일이지?!
카론….
…앗!
저기예요!
시가지에서 연기가….
화재?!
사고…는 아니겠지.
네 집은 어디냐?
집이요? 무슨 말이죠?
네 집이 폭파된 것이 아닌지 묻는 거다.
가족을 노리거나 가까운 인간을 인질로 잡으면, 너를 유인하거나 본보기로 쓸 수 있지.

…은근슬쩍 무서운 말을 하지 마세요.
체르퀘티 가는 상류층 지구에 있으니까 위치가 전혀 달라요.
아… 그러고 보니 시가지에 최근 『폭탄마』가 나온다는 소문을 들었어요.
호오… 흉흉한 이야기군.
버로우즈는 지하 조직의 인간과도… 범죄자들과도 연결되어 있을 거다.
녀석과 싸우다 보면 언젠가 그런 인간과 싸우게 될지도 모른다.
저는 아직 시장과 싸운다고 하지 않았어요. 멋대로 말하지 마세요.
그리고 역시 복수는….
…아니 잠깐만요.
시가지에서 폭발?

두근…
질리안 양과는 꽤 친한가 보군?
두근…
시가지에서 폭탄마 소동….
두근…
가족을 노리거나 가까운 인간을 인질로 잡으면 너를 유인할 수 있고, 본보기도 될 수 있겠지.
두근…
버로우즈는 지하 조직의 인간과도… 범죄자들과도 연결되어 있을 거다.
아뇨, 저 같은 게 그런… 집안이 대단한 것도 아니고….
질리안 양은 분명
시가지 출신….

이었지?
왜 그러느냐, 갑자기….
…버로우즈 시장은 저를 찾고 있겠죠?
물론이지.
다소 거친 방법을 써서라도 너를 찾아내려고 할 거다.
저승 가는 길 선물이라고 줄줄 떠들다가 상대를 놓친 것이다.
녀석의 벌게진 얼굴을 못 봐서 아쉽….
카론! 어서 저기로 데려다줘요!

저기라니…
폭발이 있던
시가지
말인가?
어째서
또….
꺼림칙한…
꺼림칙한
예감이
들어요….
시가지에는
질리안이….
친구가
위험할지도
몰라요!
저 때문에
인질로
잡혔을지도
몰라요…!
그러
니까…!
…
그건
버로우즈에
대한
복수로서…
제2의
계약에 따라
「구해달라」는
말이냐?

네?
만약 그렇다면 힘을 빌려주지.
하지만 복수와 상관없는 것이라면 안 된다.
그, 그건…!
….
…아직 복수라고 말할 수 없어요.
하지만 ….
…고지식한 녀석이군.
급하다면 적당히 둘러대면 될 것을….
어차피 혼자 가게 둬서 네가 경찰에라도 붙잡히면 끝이다. 그건 나도 곤란하지.
급하니 들키지 않게 건물 옥상을 통해 일직선으로 가겠다.

도,
도와주는
건가요?
악마를
속이지 않고
이용하려고
하지 않는
계약을
진지하게
여기는 녀석은
싫지 않다.
휙
대답은
보류할 수 있게
해주지.
복수할지 말지…
얼른 정해라…!
턱
무,
무슨 짓을 할
생각이에요?!
뻔하지.

뛰어 내릴 거다!!

NOEL
the mortal fate

제7화 폐제철소로
…어이.
언제까지 그렇게 있을 거냐?
풀썩…
…저렇게 높은 곳에서 뛰어내리면 이렇게 돼요.
하아 하아
서두르는 게 아니었나?
친구가 위험하잖아?
…알고 있어요. 자, 가요.

꽤 가까워 졌군.
…그렇군요. 저도 이 부근은 온 적이 있어요.
좋아, 그럼 빨리 가자.
네, 서둘러요.

아니….
모르는 사람 집에 들어 간다구요?!
이 앞은 지붕 위를 통해서 갈 수 없으니 집안을 지나서 아래로 내려간다.
지금이라면 폭탄 소동으로 사람도 없을 거다.
부, 분명 급하지만 다른 사람의 집에 마음대로 들어가는 건 좀 그렇지 않나요?
시장 관저에도 침입한 녀석이 무슨 소리냐?
이 시에서 거기만큼 들어가기 난감한 곳이 달리 있다면 알려다오.
알았어요! 잠깐만 지나가는 것 뿐이니까요!
그래, 그래.

왜, 왠지 진정이 안 되네요…!
훔치러 온 것도 아닌데….
탁 탁
팍
욱….
왜 그래요?
어머
귀여운 야옹이네요!
야옹

…고양이는 좋아하지 않는다. 나는 이 생물과 상성이 나쁘다.
뭐예요, 그게? 이렇게 귀엽고 무해한데….
무해는 무슨. 이 녀석들은 왠지 나만 보면 송곳니를 드러낸다고!
샤-약
…쳇. 자, 봐라!
샤아악
어머 진짜네…. 이상하네요.
머리가 새 같으니까 사냥감 이라고 생각하는 걸까?
새가 아니다! 악마다!!
쉬-익

CAT
VS
CARON
고오오오
네가 그렇게 나온다면… 좋다, 이쪽도 그에 걸맞은 무력으로 싸우겠다…!
장난 좀 그만 해요!
고오오
나는 악마다!!
퍽
퍽
고양이를 공격한다니 악마나 할 행동이라구요!
제기랄. 기억해둬라, 고양이!
쾅
이제 다 왔어요.

쿨럭
연기가 심해져서….
핫
고오오오

고오오오
…이 이상은 다가갈 수 없겠군.
시끌 시끌 시끌
민간인에게 들키는 것도 위험한데 경찰도 잔뜩 있군.
KEEP OUT
…네 얼굴을 보니 꺼림칙한 예상이 들어맞은 것 같군.
고오오오
친구의 집인가?
…분명
질리안의 집이에요….
…폭탄마가 버로우즈 시장과 이어져 있었군요.
그래서 나를 유인하기 위해 이런…!

「모습을 나타내라」는 경고인 건가…. 흠.
상당히 대담하군….
아무리 말단인 폭탄마를 사용했다고는 하지만 그래도 너무 크게 벌였다….
시장으로서의 입장을 잊은 건가…?
적어도 질리안의 안부만이라도 확인해야 해요…!
만약 무슨 일이 생겼다간 저는…!
… 알았다.
내가 그림자에 숨어 상태를 보고 오겠다.
틈을 타서 경찰의 말도 몰래 들어보지.
너는 아무쪼록 거기에서 움직이지 마라.
시장이 적인 이상 공공기관에는 접촉하지 않는 것이 좋다.

…알겠어요.
설마 이런 일이 일어나다니….
…혼자 있으니 불안해져서 쓸데없는 것을 생각하고 만다….
…질리안이 휘말린 것은 다 내 탓이야.
시장이 노리는 건 나일 텐데….
내가 질리안과 사이가 좋은 걸 시장이 알아버려서….

아니,
애초에
하아…
하아…
내가 얌전히
악마의 계약으로
죽었다면
그걸로 끝이었던 것
아닌가?
아니면
시장 관저에서
죽었다면
그걸로
끝이었을까?
어차피
나는
순간의
욕망에
져버린
살인자다.
하아…
하아
두근…
두근…
나 혼자서
상처받는 것이라면
자업자득으로
포기할 수 있었다.
그런데 내가
저항하는
바람에….
만약
이 일로
질리안이
주, 죽는다면….
하
두근…
두근…
핫
하

나 혼자만의 잘못인데도
화풀이해버린 친구를 휘말리게 해 죽어 버리는 일이 일어난다면…!
그때는 설령 내가 죽는다 해도…
속죄할 수 없는 것이 아닐까.
어이쿠.

아앗!
풀썩
…미안,
부딪쳤네.

궁오오….
오싹….
….
척…
뭐, 뭐죠.
지금
저 사람….
왠지 굉장히
꺼림칙한
느낌이….
…어?
팔랑….
드레스에 뭔가
끼었는데….
편지?

부스럭
영차….
끄응 ….
부스럭
드디어 펼쳤어요….
후우우
후우우
도대체 뭐죠 이게….
…!
돌아 왔다.
집에 있던 사람은 긴급히 이송되었지만, 웬일인지 질리안만 찾지 못한 모양이더군.
그건 최악의 경우 폭발로 죽었을 가능성도….
응?
무엇을 물고 있는 거냐?
이, 이거 …!

친구의 목숨이 아깝다면
2시간 내로 슬럼 교외의
폐제철소로 와라
Mr. bomber
방금 골목에서 수상한 사람과 부딪혔는데 그게…!
Mr. 보머….
틀림없이 함정이다. 어떻게 할 거냐?
가면 분명 극진한 환영을 받을 것이다.
하지만 이대로는 질리안이 위험해질 거예요!
저는 가겠어요.
… 그렇겠지. 그렇게 말할 줄 알았다.
결국은 내 일이라는 말이군.

…윽.
찌릿…
도와주길 바란다면 복수에 협력하라…고 말하고 싶지만….
그, 그래도…. 도와주시는 건가요…?
나는 질리안은 어떻게 되든 상관없다.
네가 멋대로 죽으려고 한다면 난 묶어서라도 널 막을 거다.
내게 중요한 건 너에게 싸울 의사가 있는지, 그 여부다.
저 혼자서도 폐제철소에 갈 수 있어요!
제가 죽어서라도 질리안을 구할 수만 있다면…!
어이, 기다려라.
탁

고민된다면 지금 눈앞에 닥친 것만 봐라.
질리안을 구해내기 위해 폭탄마와 싸운다….
죽을 각오가 있다면 그것이 무서운 것은 아니겠지?
….
모르겠군…. 너는 어째서 그렇게 복수를 주저하는 거지?
뭐 됐다. 어떻든 선택지는 없다.
너는 버로우즈와… 폭탄마와 싸우지 않으면 질리안을 구해내지 못할 테니까….
…알겠어요.
당신이 말한 대로예요.
지금은 일단 질리안의 구출이 최우선….

가요, 카론.
폐제철소로!
드레셀 제철소

…여기 군요.
주의해라. 여기는 이제 적의 구역… 완전히 무법지대다.
휘릭
팟
!
콰아앙
꺄아!
그래, 여기는 내 영역…. 무슨 일이 일어날지 알 수 없지.
행차 하셨군….

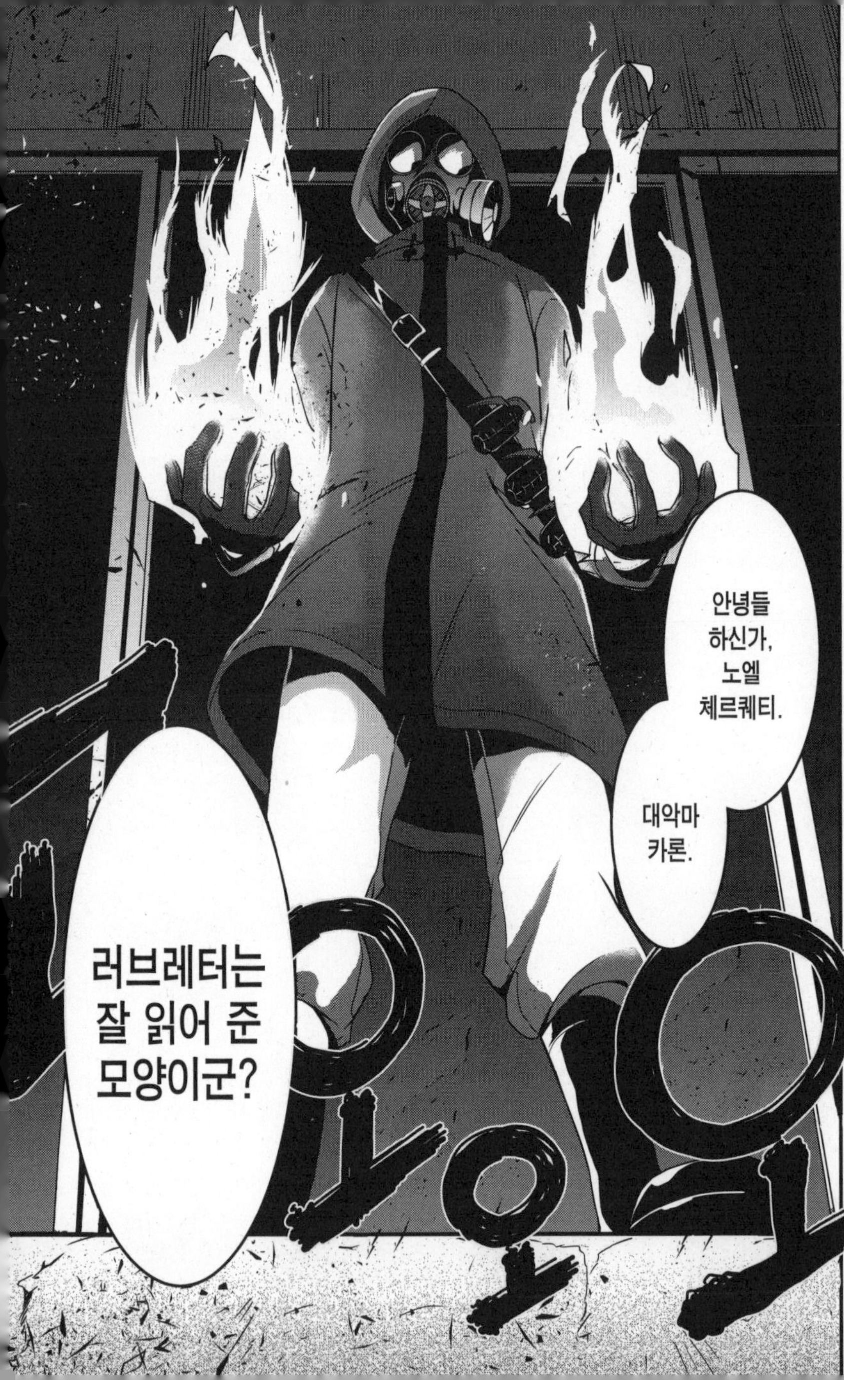
안녕들 하신가, 노엘 체르퀘티.
대악마 카론.
러브레터는 잘 읽어 준 모양이군?

NOEL

the mortal fate

제8화 보머 후고

안녕들 하신가, 노엘 체르퀘티.
대악마 카론.
다시 만나게 되어 기쁘군….
진심으로!
저, 저 녀석이에요! 저 녀석이 골목에서 편지를….
시장 관저에서 본 얼굴이군.
그때는 실례가 많았어.
질리안은 살아 있나요?!
서두르지 마. 잘 살아 있으니까.
그 아이는 전혀 상관이 없어요! 지금 바로 풀어줘요!
죽이면 인질이 아니게 되잖아?

그때는 순식간에 일어난 일이라 신경 쓸 여유도 없었지만…
이 느낌, 설마 너는….
나는 후고 드레셀.
그리고, 이렇게도 불리지….
폭탄마 『보머』 라고.
폭열의 마인 후고 드레셀
너도 똑같아. 노엘 체르퀘티.
악마와 계약한 인간의 「통칭」 이다.
그것을 자랑스레 여기며 자칭하고 다니는 녀석도 있더군.
악마에게 영혼을 판 『마인』….
사이좋게 지내자?
마, 마인 이라뇨?
쿠쿡…. 그래, 이 이름은 나의 자랑….

마인은 마인으로서의 「이름」을 갖는다.
나는 폭약을 사랑해 불꽃에 타지 않는 몸을 손에 넣었다.
그래서 폭탄마 보머. 「보머 후고」다.
너의 자랑스러운 마인명은 뭐냐고 묻고 있다!
그것이 고결한 마인 간의, 미친 살육전의 예의다!
악마와 계약했지? 그러면 마인명을 대라.
너는 어떤가, 노엘.
어, 어떻다뇨?
그, 그런 이름은 없고 아무 관심도 없어요!
그런 것보다 질리안을 풀어주세요!
…쳇.

결국 겁쟁이인가…. 버로우즈가 「마인과 싸울 수 있는 찬스」라고 꼬드겨서 왔더니만….
속은 그저 겁많은 애송이군…!
이럴 줄 알았으면 거기서 죽일 걸 그랬나…?
어쨌지, 뒷골목에서 스쳐 지나갔을 때 아무것도 느껴지는 게 없더라니….
섬뜩
…윽.
나는 말이야, 굶주리고 있어.
이제 사물을 태우는 건 질렸고, 금방 죽는 인간 따위로는 충족되지 않아.
내가 폭파하고 싶은 건 악마다…! 사람보다 월등히 강력한 그것을 내 폭탄으로 태우고 싶다…!

악마는
어떤 식으로 부서지고
단말마의 비명을 지르고,
어떤 색으로 타지?
이봐,
알려 줘…!
대낮부터
시가지
한가운데에
폭발소동을
일으킬 만하군.
머리에
나사가 하나
빠진 것 같아.
악마와
계약한
녀석들은,
그 시점에서
미쳤다!
사람의 사회,
사람의 룰에
적응할 수
없는
괴물이다!

자 노엘, 친구를 구하고 싶다면 나와 맞서 싸워라…!
네가 싸울 수 없다면, 그 악마를 꼬드겨 나를 쓰러뜨려 봐라!
그것조차 할 수 없다면, 너도 인질도 여기서 숯덩이가 될 거다…!

자, 안에서 기다리고 있겠어.
저런 타입은 무슨 일을 저지를지 모르지.
하아 하아
윽….
네 친구도 성가신 녀석에게 잡혔군.
…왜 그러지? 빨리 쫓아가자.
네, 그래야죠….
?

쿠웅…
쿠웅…
쿠웅…
…! 공장이 가동되고 있어요!
쿠웅…
일부러 우리를 위해 준비한 건가…. 성실한 녀석이군.
게다가…
슥…
착
열렬한 환영 인사도 있군.
!

보머의 부하인가.
크큭….
이, 이렇게 적이 많다니…. 어쩌죠?
죽어라!
물러서라, 노엘!

홱
쿠우웅
꾸욱…
쾅
콰
매웃…
매웃…
크…!
여기에는 이렇게 무능한 인간 밖에
악마를 상대로 바보처럼 돌진뿐이라니….
하아…
히야아아악
파바박
팍

척
없는 것 같군.
억
…。
털썩
다 정리됐다. 위로 올라가자.
대, 대단하네요…. 하지만 저 사람들 괜찮은 거죠?
글쎄.

캉 캉 캉
후끈…
쿠웅
!

녹은 철이 이렇게나 가까이….
이렇게 위험한 길 밖에 없는 건가요…?!
그, 그치만 ….
침착해라. 불똥만 피해 가면 괜찮을 거다.
녀석들이 위에 있다! 쫓아가!!
쳇…. 쫓아온 건가.
자, 가자!

…어이.
이제 됐다.
펄럭
쏴아…

…어이,
왜 그러지?
제가
시장에게
속은
그날도
이렇게
아름다운
해 질 녘
이었어요….
….
저는 역시…
복수를 할 자격이
없는 인간이라고
생각해요.
….
계속
생각
했어요.
저는 버로우즈
시장에게 속아
당신과
계약했죠.
그리고
팔다리를
잃고,
피아노도
잃고….
그것뿐이라면
분명 저는
피해자예요.
버로우즈
시장에게
분노를
느끼는 것도
당연해요.
하지만
….

저는 그날 밤
어쩌면
식전 연주가가
될지도
모른다고
생각했어요.
시빌라
씨의 말이
거짓말
이었다
해도…
그것뿐이
아니었어요!
제게서
흘러넘친
그『욕망』은
거짓이
아니었어요!
친구가
식전 연주자로
뽑혔던 그날
말이에요!
제가
해야 할 것은
그런 것이
아니었어요….
그것
만으로도
최악인데
지금은
이렇게
저 때문에
전혀 관계없는
질리안이
휘말리게
됐어요….

이렇게 되었는데도 아직 버로우즈 시장에게 도망치고 싸우려 들다니….
마치 화풀이를 거듭하는 버릇없는 어린아이 같지 않나요….
또각
또각
…이런 제가 복수라니, 뻔뻔한 소리예요.
차라리…
쏴오오오오오……
차라리 죽어 버리면
더이상 폐는 끼치지 않겠죠….

그것은
그저 이제
아무것도
생각하기
싫다며
도망치는 것일
뿐이다.
아니,
지금의 너는
버릇없는
아이보다 더
고약하다.
「버릇
없는
아이」
인가….
네
욕망으로 인해
친구가
휘말렸고…
그것이 진정으로
미안하다면
질리안 본인에게
그 뜻을 전하는 것이
가장 좋겠지.
폐를 끼칠 만큼
끼쳐놓고
너는 입 다물고
퇴장하려는
건가?
그렇게
해서
또 한 번…
제멋대로
굴 것인가?
…!

그리고 말이야, 네 사고방식은 너무 겸허해.
질리안이 이러니 저러니 할 것 없이
이용당하고 그 복수를 하는데 자격 따위는 필요 없다.
너의『꿈을 위해서라면 악마와도 계약한다』.
폐를 끼친 상대에게는 오만하게 걸어가서 막무가내로라도 구해주면 된다.
「죽으면 누구에게도 폐를 끼치지 않는다」라니….
그 오만함은 어디로 간 것이냐?

그렇게 시시한 말을 하면서 사는 것보단 낫겠지.
사람의 삶을 시시하다고 하다니… 무례한 악마군요.
공교롭게도 나는 악마라서. 인간이 미덕으로 삼는 정신은 성미에 맞지 않는다.

정말 못 말리겠네요. 당신은 언제나 공연히 잘난 척 하는군요.
대악마니까 실제로도 잘났다.
저도 상류계급이라 잘났어요.
…흥.
어쨌든 지금은 보머를 쓰러뜨리는 것만 생각해라.
다른 건 그 이후다.
그렇죠. 그래도….

묘한 배려는 필요 없다. 너는 내게 단 한 마디…
「저 녀석을 해치워 주세요」라고만 말하면 된다.
저… 결국 싸우는 것은 당신이잖아요?
너의 복수에 관련된 싸움이라면 나는 악마의 긍지를 걸고 계약을 완수할 거다.
그것이 우리를 잇는, 악마의 계약이라는 「사슬」이다.

알겠나,
노엘
체르퀘티.
너에게
복수할 손이
없다면
내가 준
의족으로
그 순간을…
힘껏 밟아라.

…네.
부탁드릴게요.
저는… 질리안을 구해야만 앞으로 나아갈 수 있어요…!

NOEL
the mortal fate

제9화 열전

마인 보머….
지금까지의
적과는 확연히
다르다….
각오는
되었나?
…네,
부탁드립니다.
위이—
여어,
오셨나.
기다리다
지쳤다.
…노엘.
질리안은…
질리안은
어디에 있죠?!

위에 있다.
!
질리안!
당신 저 아이에게 무슨…!
소란 피우지 마. 안 죽었다니까.
다만, 이대로 방치하면 어떻게 될지 모르겠지만.
00:01
어디에 있는지 모르는 네가 알 수 있도록 너무 열심히 했더니….
시가지에서 쓰는 폭탄치고는 약간 화약이 많이 들어가서 말이야.

그래서 인질도 저 모양이다.
하지만, 덕분에 지금 이렇게 여기에 모두 모였잖아.
화약이 쓸모없진 않았던 것 같군!
당신을 용서하지 않겠어요!! 저를 노린다면, 저만 노리세요!
상관없는 사람을 인질로 삼다니….
당신도 버로우즈 시장도… 비열의 극치군요!
훗….

상관이 없지는 않지. 저 녀석은.
너를 낚아 올리기 위한 훌륭한 미끼다.
그것보다도… 너다! 악마 카론.
화르륵
내가 말했지… 사람보다 월등히 강력한 존재인 『악마』를 내 폭탄으로 태우고 싶다고…!
화르륵
자, 보여줘…. 악마의 피는 무슨 색으로 불타오르는지!

…마음에 안 드는군. 악마와 계약했을 뿐인 인간 애송이가 나를 이길 수 있을 거라 생각하는 모양인데….
알려주지. 불놀이가 지나치면 파멸한다는 것을.
어이어이, 이길 생각이지만, 호각을 다툴 싸움이 될 거라 생각하는데!
그렇지 않으면 시시하지! 편하게 이기는 싸움은 이제 질렸다…!

버로우즈의 상황이 어떻게 되든 상관없다…. 이것은 나의 싸움이다!
마인 후고 드레셀… 너에게 원망은 없지만…
태워 버리겠다!
꺄…!
타다탁…
카론…!
여기 있어라.
아니, 역시 저도….
지금 녀석은 명령 따윈 안중에도 없다. 나만 노릴 것이다.
하지만 저만 아무것도 않고 놀고 있을 수는…!
걷는 것조차 힘든 네가 마인을 상대로 할 수 있는 일은 없다.
…윽.

…
…그럼 별도 행동을 취하자.
너는 지금부터 질리안을 확보하러 가라.
!
보머의 부하도 안 보이고, 녀석은 지금 나와의 싸움에 열중하고 있다.
질리안이 어떻게 되든 상관없을 거다.
아, 알았어요. 그 정도라면 혼자서도…
수다 떨 여유가 있나?

다
하
휘익
가라!
꼬맹이의 상대는 그만하고 나와의 싸움에 집중해줬으면 좋겠는데….
휙
뭐냐, 질투인가? 어지간히 나한테 집착하는 것 같군….
나는 네놈 따위에 조금의 관심도 없다.
얼른 끝내주지.
말은 잘 하는군 …!
화르르르
하지만, 방심하다간 까맣게 타버릴걸 …?!

질리안!
비틀…
…윽, 드디어 위에까지….
하아 하아
어떻게 된 거야. 네 실력은 이 정도인가?!
!
샤샤샥
우아아아아아아아아-!
상처가 심하군요…. 조금만 참아요, 바로 병원으로 데려갈게요.
퍽!
컥…!

파
팟
이런.
거리를 둬도
소용없을걸?!
촤라라라락
호오.

펑
우왓.
쿵
대단하군, 카론! 역시 너는 대악마다!
병기와도 필적하는 마인과 막상막하…!
파앙
불꽃이든 폭탄이든 맞지 않으면 아무것도 아니다.
크크큭… 하지만 꽤 피곤해 보이는걸.
욱신
…
시장 관저에서 생긴 상처가 아직 아물지 않은 건가…!

카론이 밀리고 있어…. 이대로라면…!
분명 아직 상처가 낫지 않은 것이겠죠.
제가 관저에서 멍하니 있어서 이런 일이….
역시 저는 다른 사람에게 폐를….
…
아니요!
제멋대로 도망치면 안 돼.
폐를 끼쳤다면… 다가가서 구해야 해…!

뭔가…
뭔가 할 수
있는 것이…!
내가 할 수
있는 것을
해야 해…!
저건….
…!
역시 불꽃과 폭탄을
몇 번이나 먹이니
악마의 쇠사슬도
속수무책이군!
파
차
앙

화력도 늘고 스피드도 더 빨라지고 있어…!
악마의 쇠사슬을 부술 정도의 불꽃과 폭탄의 폭풍우….
이 녀석 진짜 괴물인가…!
괴물….
크크큭…. 분명히 나는 이제 보통의 감각을 가진 인간이 아니다.
아아…, 불꽃이란 건 정말로 아름답다구….
거기에 있는 모든 것을 순식간에 통째로 삼켜버릴 거다….
후우욱
지루한 인생. 보답받지 못한 노력.
뒤집을 수 없는 현실을 압도적인 힘으로 뒤바꾸는 악마 같은 힘.

고오오오오오
대단해…, 대단하다고…! 전부 다 사라져버렸다!
아하하하
뜨겁고…! 뜨거워서…! 아무것도 할 수 없어…!!
이런 힘을 나도 갖고 싶다….
모든 것을 뒤바꿀 힘을!!
그래서 나는 악마에게 힘을 빌었다.
대가는 비쌌지만, 그런 건 마인의 힘을 손에 넣자 아무렇지도 않았다….
사고로 우리 집이 폭발하고
그 타들어 가는 모습의 아름다움에 홀렸던 그 저주받은 날로부터 나는
그저 폭탄 인간이다!

자, 좀 더 즐겨 보자구!!
이 철골….
지금 저 녀석이 서 있는 위치는 이 철골의 거의 바로 밑.
밑동이 상당히 녹슬었군요.
조금만 충격을 주면 부러질 것 같아….
공격에 몰두해 멈춰 서 있는 지금이라면…

퍽
에잇!
이~~~~~~~~~~~!
삐걱
삐걱
겉으로
보기보다
딱딱
하네요
…!
빨리
저 녀석 위로
떨어뜨려야
하는데…!
삐걱
팔이 없다고
이렇게까지
힘이 실리지
않다니…!
…아니,
간단히
포기하면
안 돼…!
반드시
어떻게든
해 보이겠어!
카론을
구할 수
있을지
몰라…!

제멋대로
굴 것인가?
나는 이제…
입 다물고
퇴장 따위
하지 않아….
폐를 끼칠 만큼
끼쳐놓고
본인은
입 다물고
퇴장하려는
건가?
퍽
퍽
그렇게 해서
또 한 번…
친구를
구하고 싶다면
나와 맞서
싸워라.
퍽
퍽
퍽
그 악마를
꼬드겨
나를 쓰러뜨려
봐라.
그것조차
할 수 없다면,
너도 인질도
여기서
숯덩이가
될 거다…!
저런 녀석을
상대로…!
단념하지
않겠어…!
닥

퍼
절대로
포기하지
않겠어요!!
억
!
윽….
크헉!
핫
비틀…
아파…!
이렇게 몸을
부딪쳤는데…
이걸로는
안 되는
건가…?!

하아
꽤나
끈질기군….
하아
기대했던
대로다.
악마 카론.
하지만…
슬슬
한계인가?
얕보지
마라.
카론…!

대악마가 이 정도로 당할 리가 없지.
자….
나에게는 완수해야 할 계약이 있어서 말이야…!
덤벼라!
두둑
….

저도 멍하니 서 있을 수 없어요….
비틀…
한 번 더…!
…!
펄럭…
생각해보니 이 의족도 카론에게 받은 것이군요.
…
다리를 빼앗아놓고 다리를 주다니….
또각
또각
계약인지 뭔지 모르겠지만, 그럴 거면 처음부터 이런 짓을 하지 마세요….
너의 복수에 관련된 싸움이라면
나는 악마의 프라이드를 걸고 계약을 완수할 거다.

그것이 우리를 잇는…
악마의 계약이라는 『사슬』.
알았나, 노엘 체르퀘티.
탁

너에게 복수할 능력이 없다면
지금까지 끌어왔으면서 도중에 내팽개치면 용서하지 않겠어요!
다 다 다다
내가 준 의족으로
당신이 준 이 의족의 은혜…
다다 다
그 순간을
지금 여기에서… 갚겠어요!!
다

힘껏 밟아라.
이거나 처먹어…
보세요!!!!

…너무
무모했다.
노엘.

NOEL
the mortal fate

NOEL
the mortal fate

제10화 피학의 노엘

너무 무모했다. 의족이 아니었다면 골절 정도로 끝나지 않았을 거다.
하지만 의족이었으니까 괜찮잖아요.
정말…. 죽어버리면 곤란하다고 그렇게 말했는데.
…하지만 솔직히
네 공이 컸다.
!

하… 하하… 방심했다.
쿨럭 쿨럭
마인이 이렇게까지 움직일 줄이야… 당했군….
…승부가 났다. 이대로 너를 경찰에 넘기면 끝이다.
스…
아무리 녀석이 시장이라도
피해가 없진 않겠지.
….

나 같은 말단에서 녀석의 악행이 밝혀졌다면 그 남자는 이미… 감옥에 있었겠지.
그, 그럼 이걸로…!
하하… 그건 어떨지 모르겠군.
우선 첫째로, 나는 버로우즈에 대해 절대 말하지 않을 거다.
클럭
…그건 왜인가?
…무슨 말이지?
…좋다, 뜨거운 시간의 답례로 대답해 주지.
꾹…
…보복이 무섭기 때문이다.
…버로우즈 시장을 감싸는 건가요?
아니, 그렇지 않아.

버로우즈의 손은 경찰의 내부까지 뻗어 있다.
우리 같은 굿은 역할이 쓸데없는 말을 하면 금방 들켜 버리지.
KEEP OUT
그리고 버로우즈는 배신자를 반드시 처리한다.
가족이나 친구를 말려들게 해서, 입막음을 하고 본보기도 보이지.
…!
호오, 너 같은 녀석에게도 지키고 싶은 가족이 있나 보지?
컥, 시끄럽다….
콜럭 콜럭

너는 잘 알겠지, 노엘 체르퀘티.
녀석은 그게 가능하다.
진정으로… 악마 같은 마음을 가진 놈이다.
그리고 끔찍하게도
녀석은 그뿐 아니라 이미 경찰기관을 완전히 손에 넣었다.
!
폭탄마는 그것과 비교하면 애교지.
크크크…
….

그러니까 내가 뭔가 말하려고 해도
그걸 다름 아닌 경찰이 수습해버린다는 말이다.
결국 뭘 해도 소용없다.
쳇… 어느새 거기까지….
헤헤… 알겠지…. 꼬리를 끌어당겨 본체를 끄집어내려 해도 그런 건 통하지 않는다….
버로우즈를 쓰러뜨리고 싶다면 버로우즈를 직접 쓰러뜨릴 수 밖에 없다.
라프라스라는 거대한 벽을 뛰어넘어서….

…흥, 기절했나.
힘껏… 노력해 봐라.
….
….
그렇게 간단히 해결되지 않을 거라고 생각했어요….
불똥을 떨쳐내는 것만으로는 어찌할 도리가 없단 건가….
…어떻게 할 거냐, 노엘.
….
카론, 저는….

저 노엘
체르퀘티는
라프라스 시장
러셀
버로우즈와…
싸우
겠어요.
이대로
저 남자를
내버려 두면
질리안뿐
아니라…
더욱 많은
사람에게
폐를 끼치게
될 거예요.
…정했나.

…저는 역시 오만하게 살 수 없어요.
하지만, 저에게 적의가 향해졌을 때는 망설이기보단… 싸우겠어요.
그렇게 하면 아무도 죽지 않고 끝날 수도 있다는 걸…
오늘 알게 되었으니까요.
그런가…
후우…
오히려 이쪽에서 쳐들어가서 제 인생을 가지고 논 것을 후회하게 만들겠어요!
위험한 길이 될 거다.
내가 널 지키지 못하고 도중에 죽을 가능성도 있을 거다.
…잘 알고 있어요.

네가 버로우즈를 타도할 때까지 나의 도움을 받겠다는 것은 즉
후에 그만한 거대한 대가를 나에게 지불해야 한다는 것.
시간을 들여, 아수라장을 빠져나가면 나갈수록 대가는 커질 것이다.
만약 네가 제1의 계약을 취소하고 스스로 손발을 되찾았다 해도…
꾹…
그 순간 네 목숨을 받을지도 모른다.

그래도 너는…
복수를 할 것이냐?
꾸욱
….
충분히 알고
있어요.
….
후….

알았다. 이번에야말로 네 의사임이 틀림없겠지.
대악마 카론.
다시금 계약에 따라 노엘 체르퀘티의 수호자가 되겠다.
너를 도와 주겠다.
그러니 자신의 잘못을 스스로 결말지어 보아라.
…네, 잘 부탁 합니다.

카-악
새 머리 주제에 완고하네요!
상관없잖아! 그리고 새가 아니다! 악마다!!
뭐, 당신의 잘못도 있지만요.
…. 아니, 네 잘못이다.
그건 그렇고… 조금 전부터 계속 생각했던 것이 있어요….
뭐지?
당신에게 새로운 악마의 계약을…
제3의 계약을 부탁하려고요.

Laplace Hospital
Laplace Hospital
204
Jillian Littner
질리안…. 나, 당신을 질투했었어요.
그건 제 마음이 약했기 때문이죠.
그 탓에 모든 톱니바퀴가 어긋나서…… 이런 일까지 일어나게 하고 말았네요.

저는 버로우즈 시장과…
라프라스와 싸울 거에요.
피아노를… 소중한 것을 되돌리고 싶어요.
온갖 수단을 다 쓰면 되돌릴 수 있는 것도 있다고… 알게 되었으니까요.
달칵…
…노엘이야…?
…아니요, 저는…….

평범한
마녀입니다.

노엘.
뭐죠.
버로우즈를 쓰러뜨리기 위해서라고는 하지만, 새로이 악마와의 계약을 거듭하여
오른쪽 눈을 대가로 왼팔을 되돌린 너는… 이제 훌륭한 마인이다.
그런 의미로 마녀라고 이름을 댄 거예요.
그렇겠지.
…마인은 마인으로서의 『이름』을 갖는다.
…네. 보머가 말했지요.

그래서 생각해 보았다. 네 『이름』을.
…양식의 아름다움이란 건가요.
그런 성격 같은 거로 말이다.
스스로 죽음을 각오하여 사지로 향하는 그 필사적인 인생… 그 이름은
피학의 노엘.

『피학』…
또각
또각
마음대로
하세요.
하지만…
약간
마음에
드네요.
또각

어제 새벽 시가지를 공포에 떨게 만든 폭탄마가 슬럼 교외의 폐제철소에서 긴급 체포되었습니다.
라프라스 경찰에 따르면 버로우즈 시장의 정보망으로 폭탄마의 아지트를 특정하여 돌입했다고 합니다.
시장은 「식전 연주자에게까지 마수를 뻗은 폭탄마를 더는 두고 볼 수 없었다」 라고 코멘트했습니다.
NEWS

…후고 드레셀이
지는 것까지
예상하셨습니까?
설마!
이길 줄 알았는데
말이야.
노엘과 카론을
확실히 처리하고…
그 후 그 녀석을
경찰대에게
처리시킬
예정이었다.
…그래서
질리안 님의
집 폭파라는
경솔한 한 수를
두신 겁니까?
한 걸음 잘못 내딛으면
시장인 당신에게도
비판이
있을 거라는 것은
예상 가능하셨을
텐데요.

그 녀석이라면 그런 일을 해도 이상하지 않고 실제로 그걸로 노엘과 카론이 낚였으니 됐다.
폭탄마가 미움을 받는 만큼 그것을 내가 처리해버리면 결국 내 수완, 내 명성이 된다.
달칵
하지만 노엘 님과 카론 님은 마인을 쓰러뜨렸습니다.
그래, 콤비라도 결성한 건가….
게다가 그 녀석은 나에게 복종하지 않는 마인이다. 결국 내 걸림돌이 되었을 테지.
실은 서로 쓰러뜨렸다면 최고였을 테지만.
뭐 됐다. 그 두 사람의 다음 행동은 대강 읽을 수 있다.
뒤는 네게 맡길게.

TO BE CONTINUED...

NOEL
the mortal fate

NOEL
the mortal fate

두두두두두두…
철썩
철썩
윽…
제길….
철썩
경솔했다…!
뚝…
뚜욱…
그 녀석은
어딨지…?
어이
노엘!
어딨나,
노엘!!
첨벙
첨벙

제11화 새로운 계획

아프프푸아푸
첨벙
첨벙
아푸아푸푸아푸
…과연.
구하는 게
좋을 것
같군.
첨벙-
아푸푸!
첨벙
첨벙!
콜록
콜록
어이,
괜찮나?
주, 죽을
뻔했어요.
콜록
…여기는
대체?
머리라도
부딪쳐서
혼란스러운
건가?
떠올려라.
우리가
왜 이런 곳에
있는지를….
….

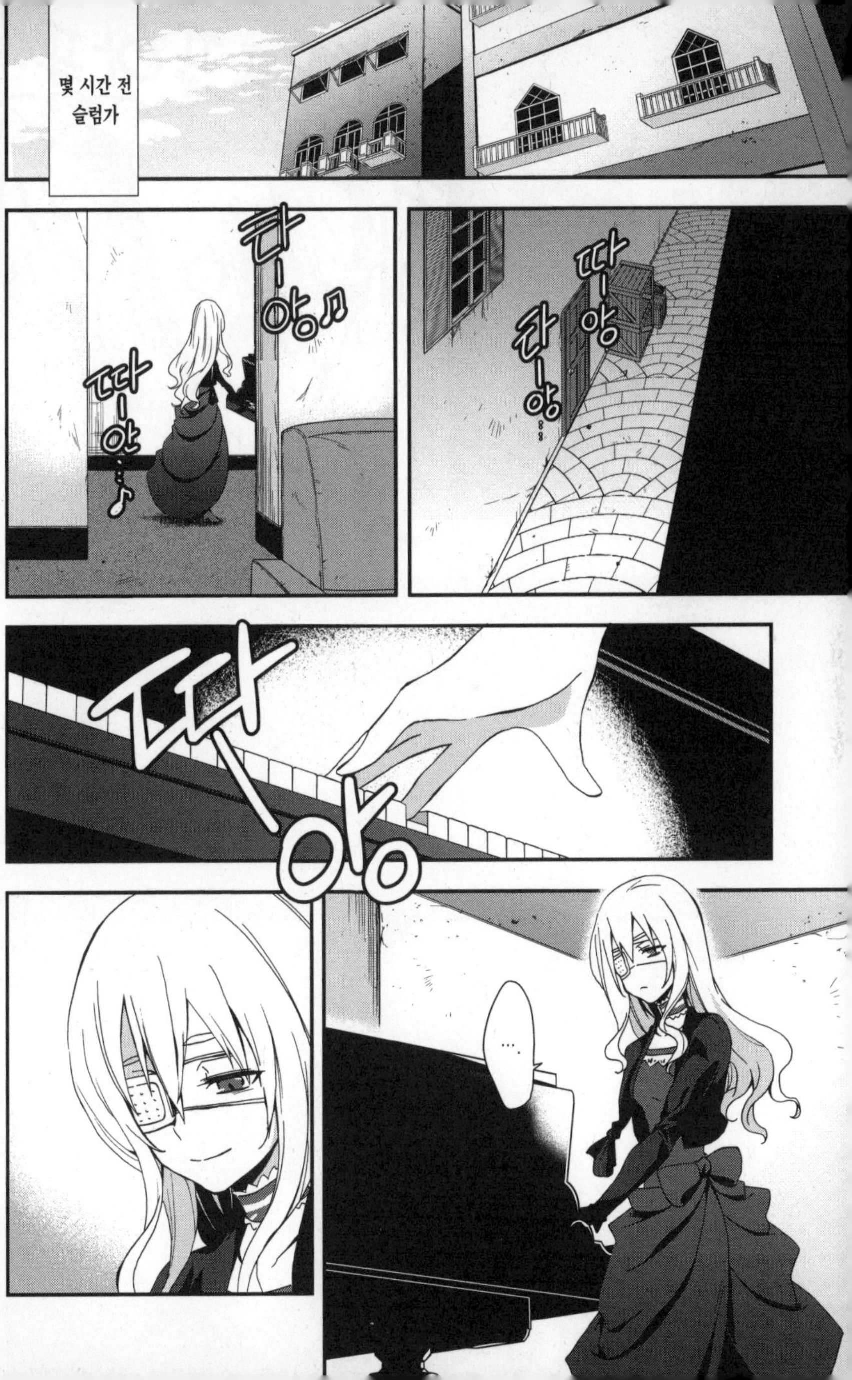
몇 시간 전
슬럼가
따-앙♫
따-안…♪
따-앙
다-앙…
따-앙
…

여기에 있었나.
카론….
무슨 용건이라도?
무슨 말이냐, 앞으로 어떻게 할 건지 확인하려고.
우선 우리의 『목적』의 확인.
…네 『목적』은 버로우즈와 시빌라에게 복수하는 것으로 잘못된 계약을 없던 일로 하고 팔다리를 되돌리는 것.
맞아요.
그리고 그건 당신도 같죠…. 악마의 계약의 미학을 이용당했으니 복수하여 본때를 보여주려 한다….

너와의 제2의 계약 『복수의 도움』은
내가 악마의 프라이드를 걸고 반드시 완수해 보이겠다.
그렇다. 그리고 그것과 동시에 우리 또한 악마의 계약으로 맺어진 관계….
기대하고 있겠어요. 하지만….

저도 왼팔을 되돌린 지금이라면 권총 한 발이나 두 발은 쏠 수 있어요.
이제 도움을 받고만 있진 않을 거예요.
너는 열심히 방해되지 않는 정도로 분발해라.
윽.
그래서, 앞으로 어떻게 할 작정이지?
? 뭘요?
복수 말이다, 복수.
복수라는 건 이쪽에서 먼저 공격하는 거다.
구체적으로 무엇을 할지, 계획은 있는 것이냐?

시장 관저에 돌입하는 건 이제 무리고…
그렇다면 암살…?
무리다.
녀석이 그런 틈을 보일 리가 없다.
그럼 어떻게 죽이면 되죠….
….
전에도 말했지만 죽이는 것만이 복수는 아니다.
녀석의 시장이라는 지위 그리고 그 뒤에서 구축한 더러운 「부」를 무너뜨리는 것.
그것 또한 훌륭한 복수다.
그건 그렇지만….

그쪽이 훨씬 더 어려운 것 아닌가요?
이 라프라스시는 경찰조차 시장의 손아귀에 있다구요?
크크큭…
어떤 수단을 상상하고 있는지 모르겠지만, 버로우즈와 싸우기로 한 이상 무슨 짓을 해도 어차피 범죄다.
그렇다면… 화려한 수를 쓰면 되는 거다.
무, 무슨 말이죠?
또각
또각
알았나, 생각해 봐라. 시빌라가 왜 너에게 스텔라 스테이지의 사장을 죽이도록 했는지.

그럼 왜
시의 외부에서 온
해운회사가
방해되지?
그렇다.
그대로
생각해
봐라.
그건 스텔라
스테이지가 시장
패거리에게
방해가
되니까….
…돈이
그쪽으로
흘러가
버리니까?
….
…!
그럼
왜….
아마도
그렇다.
하지만 버로우즈는
시장이다.
경영자가 아니야….
관여할 필요는
없지 않은가?

녀석은 직접 손해를 보는 것은 아니다. 녀석에게 이익을 가져다주는 무언가… 누군가가 손해를 보는 거다.
그 주변에 버로우즈의 이익과 연결된 무언가가 있다.
즉….
라프라스 경찰과 동일하게 어떤 기업이 시장과 연결되어 있다는 거군요.
시장 관저의 삼엄한 경비를 상대로 하는 건 힘들다.
라프라스 경찰을 상대로 하는 것도 힘들고.
하지만… 단순한 기업이 상대라면 이야기는 간단해진다.
기업에 잠입하여 버로우즈의 부정의 증거를 훔쳐낸다.
라프라스 시내는 녀석의 앞마당일진 몰라도…
시에서 벗어나 증거를 공표하면 분명 그 녀석도 끝장날 거다.
….
큭…
그렇군요.

가능할 것 같네요.
….
…흥, 좋은 얼굴을 하게 되었군.
지금까지의 너와 비교하면 몰라볼 정도야.
하지만, 그 중요한 기업이 어디인지 전혀 상상도 안 되네요.
그런가? 나에겐 짐작 가는 곳이 있다.
거기가 어디죠?
그건.

척
여기다.
고오오
……
해운회사
『아쿠에
리어스』.

내가 아는 한 라프라스에서 가장 큰 해운회사다.
즉, 스텔라 스테이지가 라프라스에 진출했다면 제일 손해 보는 곳은 여기다.
…시장 관저 때도 생각했는데, 악마인데 꽤 라프라스시에 대해 잘 아시네요.
또각
또각
….
아무래도 상관없잖아. 너야말로 공부가 부족한 것 아니냐?
빠직
무, 무슨… 제 나이대의 여자아이가, 하나하나 기업의 일 따위 알 리가 있나요?
이래서 어린이는 곤란하다는 거다.
시와 싸운다는 자각이 부족한 것 같군.
또각
…읏.
흥
그건 그렇고…
또각
또각

고오오 오…
똑각
똑각
왜, 왠지 삼엄한 분위기네요….
….
분명 이상하군.
여기에 있는 차… 군용차량으로 보이는데….
기분 탓인가…?
응?
어이, 문이 있다.
끼이잉…
…잠겨 있지 않군.
아무도 없는 것 같아요. 찬스예요!

오늘 밤에 시장의 부정의 증거를 찾아내서 아침 일찍 라프라스를 나가면…. 내일이면!
조급해하지 말아라. 아직 여기가 나쁜 곳인지도 확실치 않다.
아무쪼록 신중하게.
깜깜 하네요….
또각
비상용 지하통로… 쯤인가.
또각
침입할 수 있을 것 같아요…!
안내
플랜B6을 위해 ●월●일부터 연결통로를 「사용하는」 종업원은 이용을 피할 것.
….

!
철컹!
잠깐, 노엘. 너무 앞으로 먼저 가지 마….
오실지도 모른다고 생각은 했습니다만
철컹
이, 이건…?!
이 목소리는….
설마 이렇게나 대책이 없을 줄이야.
파앗

시…
시빌라 베커!
!

또각
또각
노엘 님,
카론 님.
어서
오십시오,
해운회사
아쿠에
리어스에.
찰랑…
제②권 끝

Inside Story of Production

NOEL
the mortal fate

BY KANAWO

Q1

노엘·카론·후고
각각의 이미지와 성격은
어떻게 만드셨나요?

노엘

복수 이야기이므로 「상처」를 눈에 띄게 하기 위해 안대를 착용한 캐릭터로 하기로 정했습니다.
그중에서 문뜩, 안대가 어울리는 스포티한 모습의 히로인보다도, 안대가 어울리지 않을 것 같은 드레스를 입은 아가씨로 하면 재밌을 것 같아서, 거기서 「격식을 차린 말투의 아가씨」 라는 이미지가 만들어졌습니다.

결과적으로 카론의 정장과 세트로 복수자로서는 몹시 화려한 외모가 되지 않았나 생각합니다.

Inside Story of Production

NOEL
the mortal fate

카론

악마라고 하면 머리가 염소나 해골 등 사람이라면 무서울 법한 머리를 갖고 있다는 이미지가 있으므로, 불길의 상징으로 많이 그려지는 까마귀 머리로 해보았습니다.

하지만 인간이 아닌 존재(人外) 느낌과 동시에, 영리하고 고결한 존재라는 이미지도 원했기 때문에 목 아래부터는 제대로 된 정장을 입혔습니다.

참고로 초기안과 성격이 지금과는 달라서, 좀 더 말수가 적은 가디언 같은 존재였습니다.

후고

어쨌든 위험한 분위기에 싸움을 좋아하고, 정체를 알 수 없는… 그런 이미지를 중시하기 위해 폭탄과 불꽃이라는 위험물을 다루는 캐릭터가 되었습니다.

가스 마스크를 쓰고 있는 것도 중장비를 한 병사를 이미지한 것이 계기가 되었습니다.

그렇긴 하지만, 막상 캐릭터를 완성하고 보니, 몸놀림이 가벼워 보이는 다혈질의 젊은이 같은 이미지가 되었지만요. (웃음)

Inside Story of Production

NOEL
the mortal fate

BY KANAWO

Q2

이번에 수록된 이야기에서, 게임을 제작하던 때 고집하던 것이나 여담이 있다면 알려주세요.

보머와 싸우는 장소 후보가 몇 개 있었습니다. 폐허의 공장이라든가 화약이 대량으로 보관된 창고라든가….

요컨대 범죄자의 아지트 같은, 게다가 인질을 가둬두기 좋을 것 같은 장소 말이죠.
그럼 결국 왜 「폐제철소」가 되었냐면, 이야기 전체를 게임으로서 생각했던 것이 계기가 되었어요.

보머와 싸우는 장소 = 보머 던전이라고 할 수 있고, 장소 그 자체가 보머를 상징하는 듯한 분위기가 아니면 안 된다고 생각했습니다.

말하자면 화산이나 불꽃의 동굴 같은, 활활 타오르는 장소….
하지만 그런 곳이 도시 안에 존재하는가…?
그렇게 해서 생각이 미친 것이 제철소였습니다.

이미지적으로 활활 타오를 필요가 있었는데, 폐허든, 뭐든, 보머의 마인으로서의 힘으로 가동시켜버리면 그만이니까요.

NOEL
the mortal fate

후기
피학의 노엘 2권을 구매해주셔서 감사합니다!
보머와 시빌라 등, 노엘의 적이
점점 나타나는 이번 권,
재밌게 보셨는지요?
15살의 소녀가 몸을 위험에 노출시키고,
어른들과 싸우기로 정하는 것은 정말로
용감한 선택이었다고 생각합니다.
그것이 설령 복수의 길이라 해도.
만화를 그리면서도,
「아아, 노엘은 정말 평범한 여자아이인
데…」 라고 생각했더니
콘티를 그리다가 울어버린 적도 있어요.
(웃음)
앞으로 점점 이야기가 고조되니까요,
다음 권도 아무쪼록! 잘 부탁드립니다!

후기

『피학의 노엘』 원작자 카나오입니다.
코믹스 제 2 권의 발매를 축하드립니다!

1 권 때도 생각했습니다만, 표지가 너무 멋지지 않나요?
이 표지를 서점에서 발견하면
무심결에 그림만 보고도 전권을 모으고 싶어지겠지요.
저라면 분명 그럴 겁니다.
큰일이죠.

이번 권에서 원작 season1 의 내용이 끝나고,
다음 권부터 season2 에 돌입합니다.
드디어 "피학의 노엘" 이 된 노엘의 복수가 어떻게 되어갈지…
그리고 만화로는 어떻게 그려질지… 기대해주세요!

카나오

NOEL
the mortal fate

피학의 노엘 2

초판 1쇄 발행 2020년 3월 10일

원작_ Kanawo
작화_ Syamoji
옮긴이_ 안수지

발행인_ 신현호
편집장_ 김은주
편집진행_ 김기준 · 김승신 · 원현선 · 권세라
편집디자인_ 양우연
내지디자인_ CMY그래픽
국제업무_ 정아라 · 전은지
관리 · 영업_ 김민원 · 조은걸 · 조인희

펴낸곳_ (주)디앤씨미디어
등록_ 2002년 4월 25일 제20-260호
주소_ 서울시 구로구 디지털로 26길 111 JnK디지털타워 503호
전화_ 02-333-2513(대표)
팩시밀리_ 02-333-2514
이메일_ lnovelpiya@naver.com
L노벨 공식 카페_ http://cafe.naver.com/lnovel11

ISBN 979-11-278-5471-3 07830
ISBN 979-11-278-5394-5 (세트)

값 5,000원

NOEL
the mortal fate

피학의 노엘 1~2권

원작 카나오 | 저자 모로쿠치 마사미 | 옮긴이 안수지

노엘 체르퀘티는 항상, 언제나 1등이어야만 한다.
명가의 딸로서 장래를 촉망 받으며 피아노 콩쿠르에 도전하지만,
친구 질리안에게 패하며 우승을 놓친 노엘.
실의에 빠진 노엘은 시장 버로우즈의 유혹에 넘어가
인생을 바꾸고 싶다며, 악마를 소환한다.
"대악마 카론. 소환의식에 따라 찾아왔다."
소원을 들어준 《대가》로 팔다리를 빼앗기며
노엘은 시장에게 속았다는 것을 깨닫는다.
"구해줘."
절망의 늪에서 죽어가는 노엘의「제2의 소원」을 들어준 카론은,
노엘에게 버로우즈에 대한 복수를 제안하는데—.

대인기 호러게임『피학의 노엘』대망의 소설화!

라이트노벨의 새로운 빛! L노벨의 신간은 매월 10일에 발매됩니다. http://cafe.naver.com/lnovel11

L NOVEL

고블린 슬레이어 1~7권

카규 쿠모 원작 | 쿠로세 코우스케 작화 | 칸나츠키 노보루 캐릭터 디자인

이제 막 모험가가 된 여신관은 첫 모험에서
약소 몬스터 고블린의 공격으로 생각지도 못한 위험에 빠진다.
그곳에 「고블린 슬레이어」라고 불리는
볼품없는 갑옷을 입은 남자가 나타났다.
남자는, 무자비할 정도로 담담하게 고블린을 사냥하기 시작했다…….
고블린 퇴치에 사로잡힌 남자와 그를 둘러싼 소녀들의 활약을 그리는.
인터넷의 대인기 다크 판타지를 충격적인 하이 퀄리티로 코미컬라이즈!!
원작자 카규 쿠모가 신규 작성한 SS도 수록!!